In Fine Fettle

Lancashire Dialect Poems

by

Peter Thornley

and

Michael May

Cover and illustrations by Brian Ormerod

Landy Publishing
1994

Peter Thornley dedicates his poems to the memory of Alfreda Noblet, his long-time partner, who passed away in November 1993.

Michael May dedicates his poems to all Briggers, wherever they are

ISBN: 1 872895 19 0

Landy Publishing have also published:

Woven in Lancashire: Dialect poems edited by Bob Dobson

In Lancashire Language: Dialect poems edited by Bob Dobson

Concerning Clogs by Bob Dobson

Valley Verses: Dialect poems by Margaret Helliwell

Policing in Lancashire by Bob Dobson

Lancashire Laugh Lines: poems by Kay Davenport

Landy Publishing
"Acorns"
3 Staining Rise
Staining
Blackpool FY3 0BU
Tel/Fax: 0253 886103

Phototypeset and printed by Galava Printing Company Limited
Nelson, Lancashire. Tel: 0282 617924

Contents

It Didn't Seawnd Reet 4

The Dawn Brigade 5

Grandma's Tom-Cat 6

'Owd 'Arry's 7

Bingo at t' Club 8

Leavin' Hooam 9

Fish, Chips, an' Peas 10

Heritage 11

Greyt Expectations 12

Doctor's Dilemma 13

Neet Schoo' 14

Amos Bradshaw an' th' Bailiffs 16

Amos Bradshaw an' t' Spanish Armada 18

Amos Bradshaw an' Owd King Tut 20

Amos Bradshaw's War Effort 22

Amos Bradshaw an' t' Brownedge Boggart 24

Amos Bradshaw an' t' Talkin' Dog 26

Amos Bradshaw's Funeral 28

Nearer My God t' Thee 30

Donkey Derby 31

Utopia '94 32

Second Seet 33

Bowton's Yard 1993 34

Short Back an' Sides 36

Mi Dad's Shop 37

Summat Fishy 38

Th' Owd Seawger 40

It Didn't Seawnd Reet
(Michael May)

Wen a fella cum walkin' deawn eawr road,
'Is clogs went "er - clatt, er - clatt".
An' it struck mi, as Ah'd never knowed
A pair o' clogs t' seawnd like that.
Soa Ah waited wile 'ee getten close,
Fer t' see wot wer th' matter,
Clogs doant "er - clatt, er - clatt" tha knows,
Thi should guh "clatt - er, clatt - er!"
Ah thowt, "Just wen 'ee passes mi
Ah'll 'ev a look o' t' greawnd",
Caus Ah wer fair reet wonderin'
O'er th' reason fer yon seawnd.
Soa wen 'ee sed, "Nah then theer",
Wen 'ee passed mi i' th' street,
Ah looked, an' does ta know
Booath 'is clogs wer o' t' wrong feet!

The Dawn Brigade
(Peter Thornley)

At dawn I hear the tramping
Of a thousand marching clogs;
A wailing and a stamping
Of the folk in working togs.
I hear teeth go chitter-chatter,
Children's feet go pitter-patter,
And the cokers clitter-clatter,
In the swirling, curling fog.

On and upwards, footsteps blending,
Over steep and cobbled hills;
Treading cold and never-ending
Paths to dark satanic mills.
Still the echo of the chatter,
Murmuring voices nitter-natter,
And the wind it doesn't matter
To these individuals.

For the mills are dead and crumbling
And the dawn brigade has gone;
But the old familiar rumbling
Of their footsteps lingers on.
If you listen in the morning,
When the cold grey day is dawning,
You may sometimes hear them yawning
As they pass you, one by one.

5

Grandma's Tom-Cat
(Michael May)

Ay, wey've getten an owd tom-cat as lives in eawr 'eawse.
Afoor th' owd lass deed it were really Grandma's.
Who's been deead a gret while - ver' near ten years;
But yon owd tom-cat'll still sleep in 'er cheer!

'Ee's lost 'ayfe 'is tail, an' 'ee's blind i' one eye,
'Ee's getten just enough teeth left fer 'im t' get by.
Ah don't know 'ow 'ee keeps gooin', er 'ow 'ee survives,
Still, they reckon as aw cats 'as getten nine lives.

Ah think yon mon of eawr's mun be down t' 'is last,
But it's fer sure t' other eight were aw spent fer t' best!
Ah looks at aw t' cats as is livin' round 'ere,
An' they aw look like yon mon, asleep on 'is cheer!

Grandma were owd fashioned - 'ee were kicked out at neet.
Sometimes 'ee'd pike off, an' be missin' a week!
Who knew 'ee'd be back; who'd say, "'Ee'll be out on t' razzle."
"Ah'll boil 'im some fish 'eeads, 'ee'll be worn to a frazzle!"

'Ee'd slink ooam aw scruffy, an' dirty, an' worn,
An' one time 'ee come back wi' 'is ear aw torn,
But a week o' fish 'eeads, wi' pobs fer a treat,
An' 'ee were soon 'is owd sel' - smooth, shiny, an' sleek.

Nowt freightened yon tom cat! By gum! 'Ee could feight!
'Ee'd tackle any dog - even five times 'is 'eight!
But 'ee met 'is match when 'ee were punched out one neet,
'Ayfe 'is tail geet bit off! Ah'll bet that made 'im screet!

'Ee were quite a good songster - ye could 'ear 'im fer streets,
Wi' 'is mahwlin' an' skrahkin' on t' yard wall of a neet,
But t' poor lad's lost aw of 'is opera voice now;
It seems like 'ard work fer 'im just t' "Miaow"!

'Ee can't 'ave much time left, now, can't th' owd lad,
An' when 'ee pops off, well, Ah'll feel a bit sad,
But there's one thing that's certain - of this Ah'm quite sure,
When this owd tom-cat dees - we're 'evvin' no moor!

'Owd 'Arry's
(Peter Thornley)

Thur's an Oriental cafe oppent up at t'top o' t'broo
Thur's El Greco's deawn in t'bottom wheear id dips
An' in t'middle thur's "Picasso's" - better known to me an' you
As "'Owd 'Arry's" sellin' pies an' peys an' chips.

W'en thaa goos fur a bite an' sup at El Greco's thaa'l put up
Wi' a foncy group an' aw t'guitars th'ive breawt
An' up broo thur swayin' yet t'yon mandarin' quartet
Bud at 'Arry's thaa gets Luxenburg 'r nowt.

At El Greco's thi've geet snugs padded aht wi' foncy rugs
An' thur's colourt leets an' candles in a pot,
Top o't' broo thur's lanterns 'ung while thaar mawlin' wi't' Foo-yung
Bud a flashleet's on'y thing 'at 'Arry's got.

Thi've geet tableclawths i' gowd at El Greco's, so Ah'm towd
An' some foncy fans keep t'tempritchur just reet,
Bud at 'Arry's w'en id steyms 'e tarns t'gas deawn under t'beyns
An' thi tableclawth's aw t'noos fro' t'other neet.

Thi've geet menus awf inch thick ad El Greco's an' yo' pick
Aw yur foncy meyt while waiters 'ovver by
Bud at 'Arry's thur's a card stuck on t'wa' ayf way deawn t'yard
An' thaa shahts up t'lobby "PEYS" or "PRATA PIE."

Thaa'll 'av gathert t'place wur rough an' 'at folk 'ad 'ad enough
Of owd 'Arry an' 'is smelly fish an' chips
Neaw thi've tuuk thur trade up broo t'yon modern Chinky-boo
'R El Greco's wi' thur foncy leetin' strips.

Thaa might think 'at 'Arry's sad bud 'e's rayly raythur glad
Fur 'e's done just wad 'e furst set awt t'do
'E's bin tryin' neaw fur weeks t'get 'is customers in t'Greeks
Fur 'e's bowt yon place, an' t'flamin' Chinky too!

Bingo At t' Club
(Michael May)

Ther's me an' t' wife, an' Brian o' course,
An' Nellie an' Jean an' Mary,
An' sumtimes Sylvia'll cum,
Wi 'er 'ubby wots cawed Jerry.

Doris cums o' Tewsda's too,
Wer aw after t' big jackpot,
But fer aw as Ah's ever see on it,
Ah must be a damn crackpot!

Ah ne'er even get a sneck-lifter,
Nod even ayfe a line,
'Im 'oo sheawts mooast is "Roger!",
Ee's on free ale every time!

If Ah'd a gun Ah'd shoot them lot,
As sheawts just wen Ah'm sweatin',
Thi ne'er even gi' a thowt,
As sum on its my money as ther gettin'.

Then Doris'll say, "Just look ad that!"
"Ah wer sweatin' o' three lines."
"'Oo sheawted "Ahse!" o' twenty-eight,"
"An', Ah own'y wanted twenty-nine!"

This 'ere jackpot is the thing,
As keeps us gooin' theer,
An' even if Ah win it,
Ah'll a' bowt it ten times o'er!

Ah own'y ever won it once,
An' it warn'd much t' bi fair,
Bud invested proper, its that long sin',
Ah'd neaw bi a millionaire!

Wen this 'ere jackpot guhs,
Ah 'ope its t' sumbody proper,
An' nod t' one o' them as comes,
Own'y wen summats on offer.

Still, Ah's 'appen win t' last whip-reawnd,
An' re-coup aw mi losses, .
Bud Ah'll bet as one o' t' Committee 'll win,
Money allus guhs t' t' bosses!

Leavin' Hooam
(Peter Thornley)

Wi'v aw t' flit fro' Bibby Street -
Thur buildin' a noo teawn;
Thur purrin' up noo blocks o' flats
An' pooin' th' eawses deawn.
Misel Ah'll happly ston id
Mooer nor some 'at's not as fit -
It's th' owd 'ns Ah feel sorry for,
Thi'll never want t' flit.

Thi'v geet lung mem'ries o' this street
'At stretch back sixty year.
Thi'v sin two wars, known poverty,
Felt 'unger, cowd an' fear.
Thi'v traypsed these cobbles aw thur lives
Fro' t' schoo' to t' mill an' t' pit,
An' neaw thi'v aw bin teawd t' goo
Bi some daft ceawncal twit.

Do'st think Owd Bill fro' number ten 'll
Want t' leave 'is 'ens?
'Is greyn'eawse wi' 'is 'mato's in
'R t' ferrets i' thur pens?
Wu'nt 'e luuk weeal stuck in a flat
Wi' nowheear t' grow 'is Cox's?
An' con ta see 'is sprahts an' beyns
An' peys i' winder boxes?

An' con ta just imagine t' faces
Under t' bowler 'ats,
When Ma Smith ses "A flat fur one -
An' fourteen tabby cats."?
'R Jonty wi' is een aw red
Wi't' sweat an' t' pain an' t' tears,
O' cartin' yon theear pidgeon loft
Up thirty flights o' steears?

Id's nod just t' brids 'at folk 'll looas
Wi' shiftin' i' yon flats.
Thur's greyheawnds, whippets, geese an' aw
An' little Willy's rats!
Thi'll 'av t' think o' summat quick,
Like buildin' 'em a zoo.
An' if Ah'd t' choice, wi' wad Ah'v sin
O' t' flats, Ah'd join 'em too.

9

Fish, Chips, an' Peas
(Michael May)

Nowt's surer t' please,
Than fish, chips, an' peas,
If ye con just ged 'em 'ooam wile ther' 'ot,
Bud sometimes it con be,
That somebody, like me,
U'll keep tha stood theer till ther' not.
Wen my gob gets gooin'
An' Ah get t' chewin',
Tha con bet tha'll be theer till ther cowd,
Wen Ah've 'ed sum ale,
Ah con start o' mi tale,
An' tha'll keep stannin' theer till it's towd.

So, wen tha goes t' t' "chippy",
Unless tha're reet nippy,
Like, no queue, an' tha 'esen't t' wait,
In case tha might see,
Sumbody like me,
Tek one o' them bags that insulate,
Ther used wen yer shoppin',
Fer stuff frozzen, t' pop in
Yer freezer, at least so Ah'm towd,
Ther strong an' ther tuff,
An' ther lined wi' sum stuff,
As keeps 'ot things 'ot, an' cowd cowd.

Then it wern't matter,
If tha 'es a natter,
Ner 'ow long tha stan's theer yarnin',
If tha's cawed late at neet,
Full ev ale an' dead beat,
Shove 'em under thi bed till i' t' mornin'.
Thi'll bi still pipin' 'ot,
An' unless tha's fergot,
T' tek up the salt an' the vinegar,
Ye con get dahn yer 'ead,
An' con stop i' yer bed,
An' 'ev fish, chips, an' peas fer yer dinner theer!

Heritage
(Peter Thornley)

Th'owd Leylan'ers still reminisce
'Beawt t' good times gone an' t' seets thi miss,
Yon Vicar's Fields 'n' Watter Street,
An' t' seawnd o' clinker't shoon on t' feet.
Th' owd Maypow Donce an' t' Morris men,
Yon Mayfield wur a pitchur then.
Thur long gone neaw are t' good owd days,
Pre-Motor Works an' motorways,
When Leylan' folk wur gradely reet,
Nooan frickened t' deeath o' crossin' t' street
Fur lurries runnin' o'er thur tooas,
An' t' smell o' fumes in aw thur clooas.

Mind - aw's nod lost, thur's summat left,
Tho' t' modern heawses are bereft
O' th'ess-hole neaw, an' t' blackened oon,
An' t' mantelshelf high up aboon.
Th' owd posser behin' t' weshheawse dooer,
Thick coca mattin' spread on t' flooer.
An' t' knocker-up? 'Is pow's ad rest,
Th'ive gone 'av t' days wi theawt wur t' best.
Bud as Ah said, thur's summat lives,
An' pleashur to a theawsant gives,
Wur preawd 'n' happy, young agen,
At seet o' Leylan' Morris Men.

11

Greyt Expectations
(Peter Thornley)

Thi di'n't 'a' mony friends di'n't 'Bert an' Billy in t' Black Bull
Thi kept thursel's just t' thursel's, thur lives wur raythur dull
Owd 'Bert 'ad geet a big 'umped back, an' Billy a club fuut
An' 'ad t' weear a size thaarteen greyt flamin' leather boot.

Each neet thi'd stagger aht o' t' pub an' mek thur own way hooam
'Bert traycled dahwn thro' t' churchyurd, 'e nobbut lived dahwn t'
    looan,
An' Bill piked awf a mile t' t' fowd, some neets id semt like ten
Thi wurn't afeeart o' t' boggarts, thi wur too far gone bi then.

Until one neet w'en 'Bert went hooam, thro' t' churchyurd, like 'e
    would
An' 'eeard a sahwnd 'e'd nivver 'eeard - a breythin' sahwd in t'
    wood.
"Who's yon" 'e axed ayf fricant t' deeath, an' t' devil wi' an' 'iss
Said *"Is thad yo' who's geet th' umped back?"*, An' 'Bert said *"Aye
id is".*

"Ah'm touchin' thee" said t' devil *"An' thi 'umped back's gone fur
    good*
Nah send thi owd mate Billy, tell 'im ah thaa furred in t'wood
T'morra thee goo t' lung way rahwnd an' send thi mate an' see
Wad t' devil does fur mates like yo' who pud thur trust i' me".

'Bert swaggert in t' t' 'Bull next neet, stood prahwd, straight as a
    die
Towd Bill o' t' devil's 'ondywark an' said *"Thee goo an' try".*
"Ah will" said Bill *"Ah've nowt t' loyse, Ah 'ope t' si thi soon".*
An' clumped dahwn in t' t' churchyard in t' full leet o' t' silver
    moon.

'E'd nobbut gone a cocksthride in w'en t' devil med 'is play
"Tha'ar Bill" 'e said, *"Yon mate o' 'Bert's, who's 'ump Ah tuuk
    away".*
"Ah am" said Bill *"Ah've geet t' club fuut, show me wad thaa con
    do"*
An' touchin' 'im owd Nick said *"Reet tha' as geet an' 'umped back
    too!"*

(This was written from a joke by "Wandering Walter" Horam,
whose permission to use it is acknowledged.)

Doctor's Dilemma

(Peter Thornley)

Ah'd bin sufferin' fro' gout, Ah wur sick an' eytin' nowt
An't' verruca o' mi fuut wur givin' gip,
Ah'd a touch o' Spanish tum an' an ulcer o' mi gum
An' t'cap id aw, a cowd sooar o' mi lip.

So Ah thraypses dahwn to t' quacks, thur wur tharrteen achin'
    backs,
A brokken leg an' flu i' front o' me.
Bud at last Ah'm shaahted in bud afooar Ah cud begin
Doctor said "Sit dahwn, shaddup, an' listen, thee".

"If thaar dahwn wi' meningitis, th'oopin' cuff 'r 'epatitis
'R thaas lawst thi appetite 'r getten watter o' thi knee,
Si thi coalmon 'r thi baker 'r thi frondly undertekker
Bud daren't bring thi petty aches an' pains t'me".

"Ah'm nobbut a physician, nod a god 'r mad magician
Bud id's miracles yo' aw seym t'expect,
An' Ah'd need clairvoyant pahwers E.S.P. an' forty 'eawers
In a day, fur aw o' t' symptoms Ah detect!"

"God gi' mi 'onds t' 'eal, nod t'prod an' pooak an' feel
Fur mi stethoscope ayf buried i' prescriptions bi thur scooar,
Ah cud cure aw thi ills bud Ah carnt si nowt fur pills
An' yon pyramid o' papperwark an' pamphlets on t't' flooar."

"Spare a theawt fur poor G.P.s wur aw warked o'to wur knees,
An' wur 'omes wi' ringin' 'phones 'r inundated,
If thaar rayly verra ill why nod swat-up o' thi will,
Patient 'eal thisel, mi panel's saturated!"

Neet Schoo'
(Peter Thornley)

Ah've teken up laarnin' agen,
An' ad fust Ah felt kind of a foo',
Fur Ah'm welly mi three scooar 'n' ten,
Bud Ah've steearted t' goo t' neetschoo'.
Id wur summat t' do wi' mi time.
An' Ah'm savin' mi brass an' mi leet,
Fur Ah'm never in th' eaws afooar nine,
An' id's betther nor thraypsin in t' street.
Id's aw free fur owd folk
An' Ah like tekin' t' walk
While Ah've still getten t' use o' mi feet.

A Monda wur th' English-class neet,
Bud Ah ended up scratchin' mi broo,
Thur wur on'y one weet mon i'seet -
Thad wur me, rest wur Sikh 'n' Hindu.
So Ah moved o'er t' 'istry i'stead,
Geet agate abeawt war, death an' fear,
Teacher ax't if Ah'd gormed aw 'e'd said,
Ah said "Betther nor thee, Ah wur theear."
Then 'e geet rayley mad
An' 'e sheawted "Look dad,
If thaa wants to tek o'er then sit 'ere!"

One class wur deportment an' grace,
O' thur antics Ah'm nod aw that keen,
Ah'd to weear weet pyjamas in t' place,
An' thur sheawtin' breawt tears to mi een.
Then Ah geet twizzelt o'er sobry's yed,
An' thrown flat o' mi back onto t' flooer,
Tha's to pay fur thi laarnin' id's said,
Bud Ah'm walkin' neaw wus nor affoer.
Mind, Ah felt a bit sick
When thi teawd me this wick
'At deportment an' grace wur nex' dooer.

Neawr thi'd lessons in Hurdu this wick,
Ah've bin meanin' t' goo fur a time,
Fur mi locks av geet rayther to' thick,
An' Ah theawt thi could practice o' mine.
Bud 'twur full when Ah geet theear misel,
So Ah never geet chance of a style,
Bud thi'd aw bin shampood, Ah could tell,
Bi aw teawels o' thur yeds in a pile.
Bud Ah'm fain Ah wur late
Fur Ah thinks Ah would 'ate
In a mud pack to sit fur a while.

14

Neaw t' summer's come reawnd once agen,
An' th' owd neetschoo's gi'n o'er fur a bit,
Ah've enjoyed usin' t' paper an' t' pen,
Tho' Ah di'n't do much, Ah admit.
Bud thur's summat Ah learnt i' yon schoo':
Id's t' same neaw, as in t' days dead an' gone,
If tha sits theear an' acts like a foo',
Then thi'll sit theear an' treeat thi like one.
Bud tha'r never too owd
To bi preawd when tha'r teawd
It wur aw reet, what bit tha geet done.

Amos Bradshaw an' th' Bailiffs
(Michael May)

T' bailiffs wer comin' fer Amos,
'Ee wouldn't pay 'is Poll Tax ye see,
An' 'ee worned a bit apologetic,
'Ee sed, "Ther gettin' no brass eawt o' me!"
T' fost bailiff as come wer reet little,
'Ee wer nobbut five foot to 'is cap,
An' Amos 'ed soon sent 'im packin',
Like an 'are wi aw t' dogs at it back.

But t' next mon as come were med different,
'Ee wer built like a Challenger tank,
Amos' chances wer less than that snowbo' i' 'ell,
An' nod even that t' bi frank!
Bud it 'es t' bi sed fer owd Amos,
As 'ee ne'er went deawn beawt a feight,
An' 'ee wer that sure 'ee wer beawn t' win,
As 'ee went fer a witness off t' street!

A fellah wer comin' deawn t' causer,
Amos axed, "Would ta mind stannin' just theer?
An ceawnt t' bodies Ah chuck eawt o' t' door 'ole,
Thi'll land just abeawt over theer".
T' chap sed, "Awreet mi owd feckler,
If that's aw's tha wants eawt o' me."
Amos sed, "Just thee keep ceawtin',
Ther'll bi summat in it fer thee."

'Ee run back i' th' eawse an' rowled up 'is sleeves,
An' squared up t' mek 'is attack,
But t' bailiff's fost cleawt sent 'im flyin',
Eawt o' t' door on t' t' flags on 'is back!
T' fellah eawtside wer leynin' o' t' waughw,
'Ee sheawted, "That's one Ah con see!"
Amos just looked up disgusted an' sed,
"Shut up ye gret crate-egg, its ME!"

Wen thi took aw 'is stuff an' 'is owd rockin' cheer,
Thats wen Amos started t' panic,
Cos' 'is mam bowt that cheer off a fellah deawn't street,
As wer gooin' t' sail o' t' Titanic.
So 'ee nipped reawnd to 'is mate Ezra Bradleys,
An' sed, "Get thissel reawnd t' t' saleroom,
Wodever tha does tha mon get mi cheer back,
Its wod ye might caw an heirloom!"

16

Ezra took 'issel off deawn t' th' auctions,
Which wer evvin' a sale that same day,
An' t' stop t' cheer bein' sowd frae under 'is nooas,
Plonked 'issel deawn reet away.
T' cheer wer reet comfy an' t' day wer reet warm,
An' soon Ezra wer snorin' an' noddin',
Th' auctioneer come an' pointed t' t' cheer,
An sheawted "Neaw 'oo'll start mi biddin?"

At each nod of Ezra's t' mon put 'is bid up,
Till at last yon owd cheer wer knocked deawn,
Wen Ezra woke up'- wen t' mon's 'ommer fell,
It'd cost 'im o'er two 'undred peawnd!
Wen Amos fon eawt just 'ow much 'ee'd spent,
'Ee went up i' th' air like a rocket,
'Ee sed, "Ah'd just twenty per cen o' that Tax t' pay,
Neaw Ah'm two 'undred peawnd eawt o' pocket!"

17

Amos Bradshaw an' t' Spanish Armada
(Michael May)

Ther wer a medieval Amos Bradshaw, who wer a fisherman bi reet;
Bud it wer 'im wot sailed wi' Francis Drake, i' fifteen eighty-eight.
'Ee wer fishin' fer salmon i' t' Ribble, in 'is booat one sunny day,
An' 'ee'd catched that many 'ee just dozed off, an' woke up i' Morecambe
 Bay.

A ship wer cummin' frae 'Eysham, its sails wer bellied an' square,
Amos thowt, "Its th' Isle o' Man booat, Ah'll ged a lift on 'er."
'Ee flagged it dahn, an' geet took on, an' then 'ee geet a suck:
Wen 'ee axed thi sed 'ee'd no chance o' gettin' dropped at Preston Dock.

T' Bosun sed as t' Captin' sed thi 'ed t' tell 'im "No",
Caus t' next stop as this ship'd mek, wud be at Plymouth Hoe!
Bud 'ee geet a fair price fer 'is salmon, t' Captin' paid 'im twelve an' six.
Thi 'ed fish an' peas - pratas warn't discovered, thi couldn't 'ev fish an'
 chips.

Thi geet t' Plymouth, then t' Bosun sed, "Amos, mi owd mon,"
"Tha'll mek a gradely sailor, does ta fancy signin' on?"
"Tha'll get fourpence a wik, an' bonus. Nah, 'ows that sahnd t' you?"
"That's sixty percent fer Captin' Drake, an' forty percent fer t' crew."

Amos sed, "It sahnds awreet. But just 'ang on. Let mi 'eve a think."
"Wot's t' bonus for?" An' t' Bosun sed, "Well, fer 'ow many ships wi
 sink."
'Ah'll sign, if Ah con play bowls nah an' then. Ah'd like t' mek that
 clear."
"Amos, that'll be reet up t' Captin's street. 'Ee's t' Club Secretary dahn
 'ere."

On Saturda wer t' Plymouth Hoe Bowlin' an' Social's Annual
 President's Day,
An t' Captin' med Amos a member, so as 'ee'd be allahed t' play.
Nah, Amos bowled a bonny wood - aw 'is ends were 'ard t' take,
An' bi two o'clock on t' Saturda, 'ee wer i' t' final wi' Franics Drake.

Ov a sudden a chap rode up on 'is 'orse shahtin', "T' Spanish Armada's
 cum!"
Bud Drake just collared a Committee mon, an' sed, 'Goo an' get mi
 drum."
"Keep a lookaht fer th' Armada, wen its 'ere, bang lahd an' plenty."
"Ah carn't cum yet, its Amos's end, an' t' scooer's twenty -twenty!"

18

Then, frae off a Spanish ship, t' Spaniards fired a shot,
An' t' ball dropped dahn reet next t' t' jack, still smookin' an' red 'ot.
It med 'em aw coff an' splutter, but wen aw t' smook 'ed cleared,
T' ref shahted, "Amos 'es a toucher!", an' everybody cheered.

T' club President cum an' 'anded Amos t' silver President's Cup,
An' Drake, good spooartsmon as 'ee wor, sed, "Ye mut as weel fill it up,"
'Ee torned an bowed t' Amos an' sed, "Ah'll present mi woods t' thee,"
"Mi initials er carved o' t' bias side, sithee, weer it sez, "F.D."

"Reet, cum on lads, let's aw get gooin'. Wi'd better mek a start,"
"An' goo an' threap aw them Spanish, afoor thi guh t' far."
Amos picked up 'is woods an' 'is silver cup, put 'is clogs an' 'is doublet
   on,
An' thi aw traipsed dahn off Plymouth Hoe, t' teach them Spanish a
   lesson.

T' Spanish wer sailin' up t' Channel, wi' ther fleet in a gret big curve,
An' Drake let aht 'is famous words, "Yon Spanish 'ev getten a nerve."
Then 'ee shahted dahn frae t' poop deck, "That big ship 'es th' Admiral
   on."
"Wi'll sink that afoor wi tackle t' others. It'll fetch an 'undred pahnds a
   mon."

T' Spanish Admiral warn't keen on feightin'. 'Ee wer cawed Fernando
   Diaz.
'Ee wer moor ev a mon fer eytin', an' weerin' fancy clooas.
'Ee wer set in 'is cabin, 'evvin' 'is tay, an' moitherin' o'er th' Armada,
Wen a cannon ball smashed through t' winda, an flattened 'is tortillada.

'Ee ceahred theer, mutterin' i' Spanish, "By the 'eck! Oh, dearie, dearie
   me!"
"This 'ere cannon ball's geet mi name on! Its carved o't'top "F.D."
'Ee warn't t' know as it wer Amos, who wer 'evvin' that much fun,
In aw t' noise, an' aw th' excitement, 'ee'd shot Drake's woods aht ev 'is
   gun!

Fernando were tekkin' no chances, 'ee shahted, "Wi'll feight another
   day."
"'Oist moor sail up! 'Ead fer Scotland! Ah'd reet fain be aht o' t' way!"
Wen aw t' battle wer o'er wi, an' no moor Spaniards could be seen,
Drake's lot cum ooam like 'eroes, an' Amos geet a medal frae t' Queen.

Fernando never getten ooam. T' ship stuck i' Tobermory Bay.
'Ee changed 'is name t' Frank Mac Dee, cos 'ee knew 'ee wer theer t'
   stay.
'Ee bowt a pub an' wed a Scot's lass, an' thi bred an 'Iahland clan.
T' pubs theer yet i' Tobermory, its cawed "T' Spanish Galleon".

Amos Bradshaw an' Owd King Tut
(Michael May)

Amos Bradshaw an' owd Ezra Bradley, 'is mate,
Wer gooin' on a pensioner's trip.
Thi wer gooin' o' t' train deawn t' London,
T' si t' latest musical hit.

Thi'd bi theer frae Monda' t' Thursda',
Thi'd land 'ooam just after tea.
Till then thi'd aw London t' rooam in,
An' si wod thi wanted t' see.

Amos an' Ezra knew weer thi wer gooin'.
Thi'd wanted t' goo a gret wile,
Thi wer gooin' t' t' British Musuem,
T' si t' mummies, wot lived along t' Nile.

It wer mooer er less like thi expected,
Caus museums er much of a kind,
But soon thi geet reet interested,
I' wod these archeologists find.

Thi si t' mummies an' aw t' bits an' pieces,
Frae t' tooms weer thi aw 'ed bin put,
An' Amos wer fair tickled an' suited,
Wi' t' way that thi'd aw bin wrapped up.

Thi noseyed reet gobsmacked wi' wonder,
Among th' Egyptian tackle of owd,
Ezra si summat like ther "guzunder",
Except this un wer covered i' gowd!

Bi mistake thi went through a dooer,
To a room full of Egyptian bits,
That wer spred abeawt all o'er t' flooer,
Like brokken "Meccana" kits.

Thi gawked at this funny collection,
Same as t' pair on 'em turned a bit silly.
Amos sed, "Ez! Ah mon mention",
"Ah'd a set just like these at "Owd Billy's"!

Thi neyther could 'elp but get started.
O' tryin' t' put it tegether.
I' no time thi'd geet it aw sooarted.
Except t' bits wod wer med eawt o' leather.

It worned long afoor t' knockin' an' bangin'
'Ed fetched sumbody t' see wod it wor.
A fellah come in an' sez to 'em,
"Wot's t' pair on ye dooin' in 'ere?"

Ezra showed 'im a booard full o' pictures,
An' sed, "Es this summat writ on?"
T' chap sed "Ay. Hyroglyphics,"
"It sez, "Mustapha bin Duckworth, an' Son!"

Amos sed, "Si tha! Wi've summat t' show tha!"
"This thing 'ere, i' t' middle o' t'room."
"Tek a look at wot's stood theer afoor tha."
"Wi've med tha "Tutankhamen's Loom!"

21

Amos Bradshaw's War Effort
(Michael May)

Owd Amos Bradshaw's neaw getten an owd mon,
But once he towd me wor 'ee wor,
In spite of o' t' shahtin' o'er what hed bin done,
It were 'im what 'ed really won t' War.

'Ee'd bin tacklin' at t' start, at Owd Billy's,
An' it were a rough 'ole t' be sure,
There warn't many shuttles puttin' weft across t'looms,
Thi were aw nearly allus o' t' floor.

Even t' cut lad were grumblin', it were aw navvy's work,
"This floor's aw 'ills an' 'olla's."
"Its dangerous anaw, tha 'es t' look aht,"
"'Cos t' shuttles are flyin' like swalla's."

But Amos were expert i' dodgin' ther tips,
'Ee knew reet abaht weer thi would zoom,
'Ee'd look up an' catch 'em as soon as thi zipped,
An' put 'em straight back inta' t' loom.

When t' War were declared Owd Amos joined up,
'Ee towd 'em 'ee'd allus bin tacklin',
Thi didn't know what that wor an' thi didn't seem t' care,
Thi said, "Well, nah tha'll be gunnin'."

It were reet up 'is street, an' it suited 'im weel,
'Ee could allus 'it what 'ee 'ed shot at,
Amos thowt it were easy just like Owd Billy's,
Thi'd aw 'ev bin t' same wi' t' set 'ee'd 'ed.

'Ee were posted dahn t'Sahth, to an Ack Ack Brigade,
It were just after t' Battle o' Britain,
When them daft Jerries hed started ther raids,
T' bomb us aw inta submission.

One day come a raid of a thahsand er moor,
Thi were just like a great flock o' pigeons,
Amos thowt 'ee would try to get the best scoor,
'Cos t' top mon allus geet extra rations.

Amos soon sent 'em flyin' an' twistin' an' divin',
Thi tumbled frae t' sky like confetti,
'Is mates kept a tag of Amos's bag,
'Ee shot dahn o'er a hundred an' eighty.

A Captain come up an' said, "'T' General wants thee,"
"Tha's t' get thissel dahn t' Headquarters."
In no time at aw, 'ee were wi' t' C-in-C,
Who said, "Tha'll be a Sergeant, fer starters."

"An' then there will be tuthri medals fer thee,"
"From the King, just in case ye were wonderin'".
Amos said "Thanks, but 'ee'd just stop i' t' ranks,"
"An' swop t' medals fer some Bury black puddin.

Amos Bradshaw an t' Brownedge Boggart
(Michael May)

Ye'll 'ev 'eard o' t' Brownedge Boggart, wod sum say if ye see
Thad verra shortly afterward, ye'll pop ye'r clogs an' dee.
Ah'll tell ye why Amos never see it; bud 'ow Ezra Bradley did,
An' 'ow two young lads as wer theer at t' time wer certain as they
   'ed.

Amos wer 'evvin' a party at t' club, seventy-five 'ee wor,
Grub laid on i' 't Concert Room, an' a late extension fer th' bar.
'Is owd mate Ezra Bradley wer wod ye'd caw th' M.C.,
Just t' see as thi aw wer suppin', an' that th' ale wer flowing' free.

'Ee'd invited friends an' family, young an' owd alike,
Includin' two lads frae t' snooker room 'oo wer booath a nowty
   tyke,
Thi'd scheemed t' goo eawt early, an' goo an' get ther tackle,
An' creep in t' Brownedge Churchyard an' find a place t' settle.

Till Amos went ooam through t' churchyard like 'ee did every neet,
Then thi'd jump frae behind a gravestooan, booath wrapped in an
   owd sheet.
Thi'd pinched sum jacks of t' bahlin' green which thi meant t' rowl
   rahnd.
I' t' club's owd tinny dustbin lid t' mek a freetnin' sahnd.

Neaw one o' t' guests at t' party wer gravedigger, 'Arry Ball,
'Oo just that verra afternoon 'ad dug another 'ole,
An' 'Arry wer an expert, an' 'ee dug 'is 'oles wi pride,
Seven foot long bi six foot deep an' two an' ayfe foot wide.

'Arry wer allus verra careful wi' t' stooans as 'ee took off,
'Ee cleyned 'em up an' laid 'em eawt aw tidy at t' side o' t' path.
Neaw just bi chance it 'appened as these two lads thowt thi'd hide,
Behind a stooan reet near t' th' 'ole which 'Arry 'ad dug wi pride.

Wen t' church clock wer strikin' midneet Amos thowt it wer time
   'ee'd gone,
'Ee sed "Goodneet" t' them at t' party an' took 'issel off 'ome.
Ezra Bradley see 'im settin' off an thowt 'ee'd follow on,
Just t' keep an eye on Amos an' watch eawt fer th' owd mon.

Amos toddled off o'er t' bahlin' green an' o'er t' playin' field at
   t'back.
An' in a while 'ee'd climbed o'er t' stile an' wer off up t'graveyard
   path.
Wen t' two lads see 'im comin', thi geet wrapped up i' ther sheets,
An' grabbed 'owd o' ther dustbin lid t' give Amos such a freet!

Ezra, just at t' top o' t' stile see these white things move near
t'stooan,
'Ee leet eawt such a screet o' freet but it seawnded like a grooan!
'Is owd topcoat wer flappin' abeawt an' 'is 'eart wer in 'is belly,
Sooas 'ow 'ee tried 'ee couldn't run 'is legs 'ed turned t' jelly!

T' two lads si this flappin' figure bob up o'er a stooan,
Wi' wod thi thowt wer big black wings an' lettin' suach a mooan,
An' thi fergeet abeawt owd Amos an' thi dropped ther dustbin lid,
An' seet off like hares deawn t' graveyard frae t' boggart thi thowt
thi seed!

Thi wer in a rush t' get away an' thi knew nowt o'er 'Arry Ball,
An' thi booath tripped up o'er t' gravestones an' went 'eadfost
deawn th' ole!
Thi ver neer deed wen thi 'eard a noise frae t' lid thi' 'ed t' drop,
It wer t' jacks as rowled o'er t' gravestooans an' cluttered in o' t'
top!

Neaw Amos wer used t' t' graveyard, 'ee went through it every
neet,
It wer t' shortest cut frae t'club t' 'ooam an' reet 'andy fer ther
street,
It didn't bother 'im at aw wen 'ee 'eard the tinny clatter,
Just as 'ee wer passin' t' steeple, 'ee ne'er thowt owt wer t' matter!

I' t' games room at t' club o' t' neet after, an' lookin' bruised an'
pale,
These two lads wer playing snooker an' quietly suppin' ale,
Wen Amos asked weer Ezra wor, er 'ed 'ee getten lost?
Thi blushed an' sed, "'Ee's not s' weel. 'Ee thinks 'ee's sin a ghost!"

Then 'Arry Ball set next to Amos sayin', "What's ta think ah've
seen?"
"Tha knows them jacks as went missin' frae off o' t' bahlin green?"
"Well, Ah fon 'em near t' t' coffin wen Ah went t' fill yon 'ole,"
"If t' Brownedge Boggart didn't put 'em theer, mi name's not 'Arry
Ball!"

Amos Bradshaw an' t' Talkin' Dog
(Michael May)

On a warm afternoon i' springtime,
Amos Bradshaw wer stood at 'is gate,
'Ee'd 'is woods in 'is bag t' guh bowlin',
Wi' owd Ezra Bradley, 'is mate,
'Ee'd ver' neer set off wen 'ee minded,
'Ee'd left a pon boilin' o' th' 'ob,
'Ee went in t' turn t' gas off,
An' we 'ee come back,
Set at t' gate wer a sommerin' gret dog.

Dogs carn't smile soa it oppened its gob,
An' gi' 'im a slavverin' gret sneer,
An' afoor Amos 'ed time t' get freetened,
It sed, clear as a bell, "Neaw then theer!"
"Wot's thi name?", an' Amos sed, "Amos",
An' t' dog sed, "This caw me Chang,"
"Ah'm a purebred Chinese talkin' dog,"
"Frae a place i' Tibet, cawed Sinkiang."

Amos wer fair flummoxed an' gobsmacked,
'Ee'd ne'er 'eard a dog talk afoor,
An' aw 'ee could think on t' ax it,
Wer "Wot ta doin set at mi door?"
T' dog sed, "Amos, Ah see tha're a bowler,"
"Well Ah've a trick er two Ah con show thee,"
"Things as Ah've larn't i' mi roamin'"
If Ah con liv fer a bit wi' thee."

"Ah'll teych tha t' bowl like an expert,"
"Like tha's never bowled afoor,"
"Ah'll show thi aw tricks as ther is t' know,"
"An' tha'll never get licked n' moor."
"Soa come on if tha want's mi t' larn thi,"
"An' wi'll goo an' meet thi mate,"
"T' sooner Ah con get thi bowlin',"
"Then t' sooner tha'll ged agate."

Soa Amos went t' club t' meet Ezra,
An' t' dog towd 'im aw wod t' do,
Wod peg t' use, wod line t' tek,
Abeawt long an' short lengths too,
'Ow t' use t' green t' advantage,
'Ow t' use each blade o' grass,
An' i' just o'er a fortneet o' practice,
'Ee wer playin' i' t' championship class.

'Ee played aw o' t' "B" team an' th' "A" team anaw,
An' demolished 'em every one,
Till ther warn't nobody left wod 'ee 'eden't beat,
Exceptin' fer just one mon.
Neaw t' club 'ed a star 'oo'd won T' Waterloo Cup,
An' wer o' t' telly wen t' season wer on,
One o' t' top five i' t' world, bowlers bowed to 'is name,
It wer t' famous 'Arry Luncan.

Soa a match wer arranged - 'im an' Amos,
Twenty-one up - t' best o' three,
An' o' t' day o' t' battle thi wer ten deep reawnd t' green,
Ther wer thad many as wanted t' see!
Luncan won t' jack bud 'ee'd soon lost two games,
'Ee just couldn't ged in 'is stride,
An Amos felt thad sorry fer 'im,
'Ee towd 'im t' secret 'ee'd promised to 'ide.

Thad 'EE wer no bowler, tho' 'ee med it look easy,
Just like fawin' off a log.
It warn't 'im wod knew owt abeawt bowlin',
It wer that flippin' Chinese dog!
Luncan wer starin' wi' tears in 'is eyes,
Deawn i' t' gully at 'is wood,
An' in a chokin', tearful voice,
Sed "Ah'm packin' it up fer good!"
An' 'ee turned 'is back o' t' bowlin' green,
An' 'eartbrokken, wi' a sob,
Sed, *"Seven times t' winner o' T' Waterloo Cup"*,
"An' Ah've bin whitewashed bi a dog!"

Amos Bradshaw's Funeral

(Michael May)

Owd Amos Bradshaw wer bowlin' at t'club. Ee'd geet seventeen 'is
mate ten,
Wen aw of a sudden ee collapsed onto t' grass. Ee thowt, "Its mi
colic agen".
Ee picked 'issel up an' ee said to 'is mate, "Thee wait 'ere, Ah'll bi
nobbut a wink,
Ah've some pills i' mi cooat, so Ah'll tek one, just as soon as Ah get
mi a drink".

Nah, t'club steward wer reet conscientious, 'is bar wer like new
polished brass,
An' t' facilitate cleanin' an optic, ee'd poured t'vodka into a pint
glass.
Owd Amos come in, wi' 'is pill in 'is 'and, an' si this full glass o't'bar
top.
Ee thowt, "Thad'll duh me", put 'is pill in 'is mahth, an'
swillocked it, dahn to t' last drop.

Ee'd n'moor took a step then ee fell like a log, 'is eyes rowled reet
back in 'is 'ead,
A lad, playin' snooker, come o'er t'look, an' said, "Ah think this
mon's dead"!
Amos went for four days, baht movin' a muscle, then t'Doc said,
"Ther's no signs o' life".
So 'is mates geet together, in a bit of a tussle, an' thi thowt abaht
t'grave weer ee'd lie.

Thi thowt ee should 'ev a good send off, wi music, an' t'flag at 'alf
mast,
Then after, thi'd aw 'ev a booze up, an' remember owd Amos an'
t'past.
At last came the day of interment, an' thi aw walked to t'church
behind t'band,
Weerin' medals, an' best suits an' blazers, an' t' cortege looked reet
sombre an' grand.

Thi aw went i' t'church, an' geet sooarted aht, an' set thersels
dahn o' ther seats,
Wen t'Parson come aht onto th'altar, to say a few words o'er
t'deceased.
But owd Ezra Bradley 'ad bin on the beer, an' broke wind wi' a
trumpeting blast,
An' th'organist thowt it wer t'signal to start, an' proceeded to give
of 'is best!

Thi couldn't 'ear t'Parson fer t'music, tho' t'poor mon wer tryin'
t' shaht.
Thi knew ee wer on abaht summat, thi could aw see 'is gob move
abaht!
Then t'organ an' t'Parson booath stopped at once, an' silence wer
deep an' profahnd,
An' befoor thi could coff er shuffel ther feet, thi aw 'eard a lahd
knockin' sahnd.

It seeamed t' bi coomin' frae t'coffin, which wer stuck up at t'front
on a bier,
It woke th'undertekker, who wer just dozin' off, ee thowt "Owd on!
Summat's up 'ere".
Ee squeaked dahn t' t'front in 'is burial shoes, long tail cooat, top
'at an' all,
An' quickly commenced to remove aw ut t'screws, wi' a screwdriver
frae 'is coat tail.

Wen thi lifted t'lid off, up popped Amos, 'is face it wer purple wi
rage,
Ee shahted, "Ye gobshiets an' crate-eggs, Ah've not getten deead,
its mi age!"
T'service broke up in a quandry, well, this created a loose end er
two!
Ezra shahted, "Ah've an idea, lets aw guh t' t'funeral do!"

So thi aw traipsed i' t'club, just rahnd t'corner, owd Amos i' nowt
but 'is shrahd,
But wen ee si t'spread that thi'd laid eawt fer 'im, ee felt proper
gradely an' prahd.
Wen thi'd aw geet ther pints an' 'am butties, sumbody asked wod
ee thowt 'ed bin t'matter,
Amos said ee didn't think it wer t'pill 'ed done this, ee thowt it wer
that glass o' watter.

Nearer My God t' Thee

(Peter Thornley)

Ah geet t' thinkin' t' other day
An' wondered why thi'd done away
Wi' t'teawn wur Ah wur born an' bred,
Chrissent, schoo'd, an' wooed an' wed.

Ah wondered why thi'd flattened t' street
To dust an' rubble overneet.
An' med yon teawer, glossy white -
It's like a whitewashed stalagmite.

Thi've stuck mi in this sky-high pen
Thrutched-up just like a batt'ry 'en.
If t' good Lord calls Ah'll bi t' fost t' come,
Ah 'aven't nobbut far t' run.

Give us back eawr teawn an' eawr street, Dear Lord
An' wur eawtside lavvy wi' its squeaky board,
An' Ah don't mind possin' in a dolly tub.
Nor t' cockroaches runnin' off wi' t' childers' grub.

Thi con keep thur windas wi' thur foncy panes,
Thur central 'eating an' thur modern drains
If wi get afire an' wi've aw t' scoot,
Wis need an 'elter-skelter 'r a parachute.

Ah've complained to t' church an' t' vicar said 'e
Would perhaps send up a little prayer for me.
Ah said "WRITE A NOTE EAWT, VICAR, THAT'S BEST,
AN' AH'LL GIVE ID HIM MISEL AFOOAR AH GETS
    UNDRESSED."

"Donkey Derby"
(Peter Thornley)

T' Blind Hooam decided thi'd 'ave a day aht
Thi'd a vote t' si weear thi shud goo.
Some theawt o' 'York Minster' bud they wur pushed aht
An' aw t' rest on 'em voted *"Blackpoo'."*

Thi noo wi't' fresh 'eear thi'd bi 'elthy an' tanned
Thur wur 'Yate's' an' toilets galooar
Thur wur t' seagulls an' t' sea, funny 'ats an' aw t' sand
Thur wur t' waves t' bi 'eeard, an' much mooar.

T' coach driver wur trained, an' 'e noo wad t' do
T' mek thur day vurried an' grond
'E thraypsed 'em rahwnd t' purk, an' 'e thraypsed 'em rahnwd t' zoo
Then 'e left 'em t' play fuutbaw on t' sond.

'E traycled 'cross t' rooad to a pub 'at 'e noo
'E'd towd t' lifegurd t' keep 'is e'en wide
Nah, aw t' blind folk wur trained, an' thi noo wad t' do
Bud 'e di'n't went 'em weshed aht bi t' tide.

Thur wur bells o' thur fuutbaws, thi noo weear t' punce
Thur wur tuthry groups playin' arahwnd
An' lucky fur some, yon lifegurd wur no dunce
W'en thur brasst aht yon 'orrible sahwnd.

'E run across t' rooad t' weear t' driver wur sat
Aht in t' sun, wi' a pint in 'is 'ond
"Thaa mun cum verra quick, id's as urgent as thad,
Thi've kicked 'ell aht o' t' donkeys on t' sond!"

31

Utopia '94

(Peter Thornley)

Oo'd o' thowt 'at
Way 'd si t' day
Wi'd pay ten bob fur railwa' tay?
Nay, nod a gallon, just a sup,
Fro' a finger-brunin' plastic cup.

An' t' price o' grub's beyond belief,
A three-peawnd a peawnd thi want fur beef,
An' t' ten-bob egg thi says on t' way -
Thi must feed th' ens o' railwa' tay.

'R' p'r'aps thi've fon yon brid of owd,
'At spits eawt eggs o' solid geawd,
If prices rise at rates like this,
Wi's fotch eawr grub fro' Sotherby's.

Ah've of'en theawt Ah'd gas misel',
Then theawt agin, an' just as well,
Wi't' rubbish 'at wi've geet fur gas,
Id's beawn' t' be a waste o' brass.

'S not only that 'at wurries me,
Reet neaw Ah cawn't affooard t' dee,
Thur's t' mortgage o' mi noo detached,
An' t' country cottage t' bi thatched.

Thur's t' fees fur t' childers' public schoo',
Wi need a colourt telly too,
'N' t' car's a banger (two year owd)
Thi've aw geet noo un's deawn eawr fowd.

Still, thur's mi fam'ly, th' eawse an' t' cat,
Mind, hoo cawn't bi s' safe ad that -
Ah think Ah'll lock mi dooer t'neet,
Thur's nobry safe wi' t' price o' meat.

Second Seet
(Peter Thornley)

Last wik thi tuuk th'owd lass away
'At lived nex' dooer t'me
Hoo's welly blint an cripplet too
Mind yo' Hoo's ninety three
Hoo didn't fratch nor skreyk at aw
Hoo wurn't a one for that
But as hoo went 'er whispert
"Jonty, keep thi eye on t' cat"

Yon cat an' 'er wur close as owt
Hoo'd 'ad 'im eighteen year
An' geet him when 'er usbant deed
T' fill yon em'ty cheear
An' ev'ry neet at t'front o't'fire
Thi'd snooze thur eawers away
An' keep each other comp'ny
Weeal thi' did, till t'other day.

Ah'd promised Ah'd luuk after 'im
If 'e could see 'is way
T' share what bit o' fire Ah'v geet
An what's left o' mi tay
Ah tried t'keep mi promise
Ah did aw Ah could, Ah sweear
An' left aht meyt an' wayter
But Ah never geet 'im near.

'E just sat theear in t' gurdin
Moanin' hurd aw day an' neet
'E went reet thin; 'is fur fawd aht
'E luuked a weary seet
Ah cawd aht t'vet a tu'thry time
But could 'e catch yon cat
An' then a fortneet later
Weeal, id appent just like that.

'Is skreychin browt mi aht o' bed
T'wur nobbut ayf past fooar
Ah stumbalt dahwn ayf wick
An' fo'n 'im cahwrin' at t'front dooer
"Nah then" Ah said "What's up wi you"'
'E raised 'is weary 'eed
An' then Ah noo what t' moggy noo
Th'owd lass nex' dooer 'ad deed.

33

Bowton's Yard 1993
(Peter Thornley)

At number one i' Bowton's yard mi nephew keeps a schoo',
An' advertises 'keep-fit', 'massage', 'sauna sessions' too.
E mun bi mekkin' lots o' brass wi' aw 'is neetschoo' wark,
Ah've cahwnted welly fifty traypsin' in at th' edge o' dark.

At number two young Sharon lives, hoo's parted fro' 'er chap,
But ev'ry neet to 'er an' t' child 'e creeps t' ang 'is cap.
Hoo's drawin' t' single benefit an' ses hoo canno' wark,
Ah wonder if they'll benefit 'at watch at th' edge o' dark?

At number three Bill Skinner lives an' keeps a little shop,
It should bi keepin' 'im wi' aw yon meyt an' fags an' pop.
But bein' smo' 'is prices rose as high as ony lark,
Wi traycle off t' Tesco's nah, like 'im at th' edge o' dark.

At number four young Cecil lives, 'e's geet a funny gait,
An' weears some reet ahtlandish cloons an' pats 'is curly pate.
Ah lost a shillin' dahwn 'is suff Ah'd saved t' get to wark,
Ah'd liefer walk nor seech fur it rahwnd yon at th' edge o' dark.

At number five Ah lives misel, an' bi misel an' aw,
An' onyroad wad e'er Ah do is nowt t' do wi' yo'.
But if tha's one o' Bowton's Yard tha'll likely nosey park,
An' see big Ann, Bill Skinner's wife, creeap in at th' edge o' dark.

An number six nex' dooer t' us two dooers fro' number four,
Wi've geet a sellin' aht shop wi' a 'sowd aht' sign on t' dooer.
Thur aht o' spirits, ale an' fags Ah think thi mun embark
On t' trip wi' Skinner dahwn t' Tesco's just at th' edge o' dark.

At number seven it's empty, weeal it wur till t' other day,
Then ayf a dozen squatters come, Ah think thi've come t' stay.
Thi've browt two gooats, two 'ens, two pigs, Ah'm livin' next t' th'
    ark,
Ah wish HE'D send another flood, t'neet at th' edge o' dark.

At number eight thur's colour folk, Ah think fro' Pakistan,
T'kids weear them little Gandhi 'ats, Ah've sin 'em aht in t' pram.
Ah've sin 'em shoppin' during t' wick, at wick-end thur on t' park,
But someheaw thi aw seym t' vanish just at th' edge o' dark.

At number nine, Lord 'elp us, thur's a sole an' 'eel bar,
Weear bits o' kids wi' staplers work, weear once a tradesmon wur.
An' nah dahwn bi yon cemetry th'll 'ear 'em if tha'r sharp,
Th' owd cobblers i' thur graves aw turnin' just at th' edge o' dark.

At number ten young Bowton lives, 'e's nicest heawse in t' row,
An' owt t 'ave wi' t' rents 'e's churgin' t' rest on us an' aw,
'E's doubalt t' rents up, doubalt t' rates an charges us t' park,
Ah'd like t' double 'im up some neet, just at th' edge o' dark.

At number 'leven mi uncle lived an' kept a little zoo,
'E'd foxes, ponies, geese an' dogs an p'raps a pig 'r two,
'E didno' feed 'em verra weeal, Ah've 'eeard 'em grunt an' bark,
'E vanished w'en thi fed thursel's, one neet at th' edge o' dark!

At number twelve, last heawse in t' row, a Chippy's just sprung-up,
Thur's fish an' chips an' prata pies an' soda pop t' sup,
Ah geet a meyt-pie t' uther neet t' gollup deawn in t' park,
Affoar Ah theawt weear uncle went, one neet at th' edge o' dark!

Weeal that's heaw Bowton's yard luuks neaw in Nineteen Ninety
   Three
It's awtert some sin' Laycock's time, Ah think thaa will agree,
Ah think p'raps thur's a message 'at wi'd aw d' weeal t' ark,
Affoar wi' find wursel's aw stonnin', just at th' edge o' dark!

35

Short Back an' Sides
(Michael May)

In eawr village, years ago,
Ayfe a century er so,
Each tuthri terraced streets would arber,
One eaws fer ther local barber.

In its front room, stooan flagged an' bare,
Ther would stan a wooden chair,
Occupyin' pride o' place,
In front o' t' deead fireplace.

On 'oose mantlepiece screwed fast,
Ther would bi a lookin' glass,
An' i' one corner o' t' room,
A sink an' near it a broom.

An frae it angin', leather strop,
An' cut-throoat razors on it top,
Wi' bristled brushes i' a gather,
Fer t' poor owd whiskers' sooapy lather.

Mi verra fost 'aircut'd be,
At abeawt th' age o' three,
A booard across cheer arms mi seat,
An deawn o' t' cheer's mi babby feet.

Ignorin' sheawts o' freet an' shock,
Yon barber powed mi babby locks,
An' Mam wer booath 'appy an' sad,
Wetchin' Babby changed t' Little Lad.

One barber we aw knew as "Butch",
Med 'is 'aircuts ceawer an thrutch,
As 'ee 'acked 'em aw abeawt ther pod,
Like yon Demon Sweeney Todd!

'Ee wer rapid, rough an' rude,
'Is sithors stabbed, 'is shears pooed,
'Is razors allus 'onin' needin',
Aw 'is 'aircuts come eawt bleedin!

Fer years neaw Ah've 'ed the privelege,
O' usin' last un in eawr village,
Bud Ah carnt dam time's flowin' river,
An' 'ee's nod beawn t' last ferevver.

Mi 'air, as yet, 'es never nooan,
A uni-sex 'airstylist's cooam,
But neaw Ah fear it mon bi soon,
Ah 'ev t' use some such saloon.

Mi Dad's Shop

(Peter Thornley)

Mi dad wur t' local clogger wi a shop at th' end o' t' street,
An' ayf o' t' tahwn relied on 'im fur summat o' thur feet.
Th'id bring thur clogs an' boots an' shoon, thur case-baws in fro' t'
  schoo'
An' aw agreed thur wurn't a thing my faythur couldn't do.

Dad's tools wur 'ommers, rasps an' knives an' awls t' poo an' thrust,
'E'd rows o' tins wi' labels on tha couldn't si fur dust,
An' boxes full o' laces, coulert eyelets, clasps an' tongues,
An' bends o' leather aw tied up wi' proper leather thongs.

Yon cahwnter bulged wi' boots an' shoon, tha'd scarce believe thi e'en,
Fro' babby boot t' tharteen fuut an' ev'ry size between.
'E'd paint an' polish ev'ry sole an' trim aw th' edges neat,
Thi luuked that weeal id wur a shame t' weear 'em o' thi feeat.

Dad geet aw sooarts o' customers, some good'n's an' some bad,
An' thur wur allus tuthri folk med faythur raythur mad.
Bad payers, penny pinchers too an' them wi' sweaty feet,
An' some 'at theawt dad ought t' work aw day an' ayf o' t' neet.

One mon wur reg'lur to eawr shop, weeal reg'lar once a year,
An' t' state 'at yon mon's clogs wur in med faythur cuss an' swear.
'Is cokers 'ad geet dahwn t' t' grahwnd an' t' wood wur wurrin' thin,
W'en axt if 'e could save 'em dad said "Aye Ah con, fur t' bin."

Wi geet a fella in fro' t' mill cawd 'erbe't, 'oo wur lame,
'r theawt 'e wur, till faythur said "Tha foo', id's yon t' blame,
Tha's double cokers o' one clog, on t' other tha's geet none,
Tha'll 'av' t' walk wi' one leg stuck in t' gutter if tha con."

Dad allus liked t' gi' folk 'ond if 'e could see 'is way,
An' often leet 'em off wi' t' bill if prawce thi couldn't pay,
Ad least that's wad Ah theawt 'e did but then Ah'm raythur thick,
Ah should 'a known 'e'd get 'is brass plus ten per cent fur tick.

Ah'v geet fond mem'ries o' yon shop 'fooar t' business getten slack,
Bud t' mills closed dahwn an' folk left tahwn, wi never geet 'em back,
Id's years nah sin' thi poo'd t' place dahwn bud sometimes late at
  neet,
Ah'll sweear Ah con 'ear t' sahwnd o' 'ammerin' in t' street.

*   *   *   *   *

*I've used some poetic licence in this poem. The truth is that mi dad's
owd shop is still standing. It is Number 5, Turpin Green Lane,
Leyland, and is now a photographic shop.*

Summat Fishy
(Peter Thornley)

Last wick Uncle Seth wur cremated
'E deed o' 'is colour-blint e'en
When Singleton's chara' run o'er 'im
A green 'un 'at Seth 'adn't seen.

Id wur awkert 'im deein' o' Frida'
Fur th' owd lass 'ad done perch fur 'is tay
Hoo'd won thaarteen in t' raffle at bingo
— unlucky fur Seth tha might say.

Bud it tarnt aht aw reet as id 'appent
Fur thi'd layed on a salad fur t' do
So i'stead o' just 'am an' cowd pratas
Thur wur some geet a perch apiece too.

Pride o' place wur Seth's urn on t' top table
As a mark o' respect so t' speyk
Wi' 'is name etched i' black on t' silver
Aw set awf wi' a base med o' teyk.

Weeal thi aw geet stuck-in t' thur salads
After Jonty 'ad tuuk off 'is 'at
An' Sar'ann's young dowter Matilda
'Ad gi'n o'er cloddin' perch dahwn t' cat.

W'en thi'd golloped thur tay an' done suppin'
Thur wur dancin' an' muckin' arahwned
An' then su'nly t' place went proper quiet
Fur thur'd brast-aht a norrible sahwned.

Id wur t' moggy thrutched-up in t' corner
Lookin' awf-wick an' doubalt wi' pain
An' then Sar'ann shaated "ID'S POISANT
ID WUR THEM THEEAR PERCHES T' BLAME."

Thur wur panic an' fooak sturted skreymin'
An' then Jonty 'phoned t' vet like a foo'
Then 'e theawt 'at 'e might o' bin deein'
So 'e rung-up fur th' 'urse agin too.

Weeal thi leet-off fur t' dooer in a frenzy
Mekkin' t' foncy top-table o'er turn
Spillin' ayf o' Seth's ashes in t' fag-tray
An' some smowderin' stumps in i' urn.

Thaad 'a' laughed if thaad bin at th' infirm'ry
An' thaad sin 'em lint-up fur thur tests
I' thur foncy black shoon an' thur toppers
Wi' thur braces o'er top o' thur vests.

Thi geet pratas fro' six wi' thur pumpin'
An' some black traycle-tuffy fro' one
Thi fo'n nowt bud brahwn-ale i'side Jonty
Bud o' poisonous perch thur wur none.

Thi wur flummaxed wur them on t' pump 'ondle
Bud w'en t' vet rung thi noo th'd bin 'ad
Id warnt deein' o' poison yon moggy
ID WUR JUST MEKKIN' T' TOM-CAT A DAD!

Th' Owd Seawger
(Peter Thornley)

Club's geet an owd seawger on t' dooer,
'E wur once a big name in th' Ome Guard.
An' tha'd think war wur on'y arf oo'er,
When 'e's after thi membership card.

Fur 'e geds 'em aw stood to attention,
Proper still wi' thur backs up t' t' wa',
An' 'e'll look ev'ry place tha con mention,
Aye, an' some 'at tha couldn't an' aw.

If that doesn't produce wad 'e's seechin',
Then tha'r doomed to a neet at t' 'King Dick'
An' tha'll waste thi time fratchin' an' screechin',
Fur 'e's faus as a fox, an' as wick.

Tha con tell 'im t' card's i' thi owd clooas,
'R geet lawst when tha dropped id deawn t' suff,
Bud 'e'll gleear deawn 'is bony owd nooas
An' tha knows 'at 'e's callin' thi bluff.

Fur 'e's geet a lung list of excuses,
Fro' eaw t' wind blew id aht o' thi 'ond,
To tha left id last neet ad thi floozy's,
'R tha'd mawce an' thi theawt id wur grond.

Tha con lie till tha'r ver' near deein',
Even t' truth doesn't seem t' ged thro',
Ah mon try an' sneeak past beawt 'im seein',
Fur Ah'm t' steward, an' wi oppen ad two!